P9-DFR-500
BIBLIOTECA ERA
CONACULTA

JULIÁN HERBERT *Kubla Khan*

JULIÁN HERBERT

Kubla Khan

CONACULTA

Parte de este libro se escribió con el apoyo
del FONCA-JC, en el periodo 2001-2002

Coedición: Ediciones Era/Consejo Nacional para la Cultura y las Artes

Primera edición: 2005
ISBN: 968.411.521.0 (Era)
ISBN: 970.35.0844.8 (CNCA)

Calle del Trabajo 31, 14269 México, D. F.

Impreso y hecho en México
Printed and made in Mexico

www.edicionesera.com.mx

In Xanadu did Kubla Khan
A stately pleasure-dome decree [...]

Samuel Taylor Coleridge

I. Xanadú

Xanadu es el nombre de uno de los sistemas de acopio y mantenimiento de la información que han dado origen a la *worldwide web*.

(más datos en www.xanadu.com.aus)

Cuando digo Occidente digo

Volveré (como la oscura
golondrina de MacArthur)*
a este parque de accidentes:

el boxeador platónico noqueado en el puño de su sombra,
la luz ensimismada en un puñado de cal
como un tiro ampuloso en la cabeza de un santo,
los puños de la camisa del desastre,
los empuñados miembros de guerreros tártaros que
marchan en la herida
hacia la humilde Xanadú de la putrefacción,
la empuñadura del pensamiento aljofarada de calaveras,
el idioma flexible y grumoso como ángeles *al dente*,
apuñalados.

Cuando digo Occidente digo
atalaya del crepúsculo del cuervo,
margaritas eufóricas en un llano de hielo,
rosas como cavernas talladas en el roce de los labios;
digo otras flores, otros precipicios,
digo torpedos y digo Torquemadas,
y ojalá no fuera tan linealmente sintaxis

* "Una golondrina no hace verano." Cfr. Donna Summer, "MacArthur Park".

esta coreografía hipertextual,
estos inmarcesibles crisantemos de plástico
avivándonos como a yuppies (ordalía
del concepto,
liposucción de la frase: el último oro
es esta niebla).

Cuando digo Occidente digo
parque de accidentes
cual si la faz del sol a punto de ponerse
fuera un álbum de ventanas: estampitas.

Esta sopa de letras infinita:
yo hablo desde el Fin de los Tiempos.
Aburrido,
como hemos hecho siempre.

Hexagrama del asno

¿Y qué decir de un asno?
Yo nunca dije nada.

Había un asno junto a la boca de Leticia:
era lunar su ardor
y se rascaba contra mí
furiosamente.
Había un asno en la casa de Juan Luis
y nos cobraban cinco pesos por montarlo.
Yo nunca lo monté.
Había uno hinchado y negro flotando en el arroyo,
otro muy amarillo en un sueño del Ártico,
y el de las tiras cómicas,
y un asno un poco bizco en la mirada de Gabriela
vuelta sobre su hombro desde un país de aroma.

Asno.
Tan bestial esta palabra
que me repugna todavía. Como fundar
en una coz el vuelo de los ángeles.
Como ser la pelambre y rumiar parpadeos
de un aliento sonoro entre los girasoles.
Sin aurigas ni hazañas, apenas alveolado
por el pudor
o la procacidad de una muchacha.

Sin ley ni alegoría, apenas sumergido
en la cobriza tarde
igual que un tren de Turner.

La mismidad –nunca lo dije–
era este mismo asno
detenido en su piel color de rata
frente a un fondo vulgar de espigas verdes.
Un gusto de vivir animal y esforzado,
pero amargo
como la salvia o el laurel.

McDonald's

Nunca te enamores de 1 kilo
de carne molida.
Nunca te enamores de la mesa puesta,
de las viandas, de los vasos
que ella besaba con boca de insistente
mandarina helada, en polvo:
instantánea.
Nunca te enamores de este
polvo enamorado, la tos
muerta de un nombre (Ana,
Claudia, Tania: no importa,
todo nombre morirá), una llama
que se ahoga. Nunca te enamores
del soneto de otro.
Nunca te enamores de las medias azules,
de las venas azules debajo de la media,
de la carne del muslo, esa
carne tan superficial.
Nunca te enamores de la cocinera.
Pero nunca te enamores, también,
tampoco,
del domingo: futbol, comida rápida,
nada en la mente sino sogas como cunas.
Nunca te enamores de la muerte,
su lujuria de doncella,

su sevicia de perro,
su tacto de comadrona.
Nunca te enamores en hoteles, en
pretérito simple, en papel
membretado, en películas porno,
en ojos fulminantes como tumbas celestes,
en hablas clandestinas, en boleros, en libros
de Denis de Rougemont.
En el *speed*, en el alcohol,
en la Beatriz,
en el perol:
nunca te enamores de 1 kilo de carne molida.

Nunca.

No.

Balada de Hong Kong

En Hong Kong escribí tu nombre.
Con fantasmas de piratas europeos
y mercados humeantes como varas
de *senko* escribí tu nombre.

Era un código de barras,
un mar rizado en opio,
una dulzura oblicua
siguiendo sobre papel arroz
las ingrávidas poleas del ideograma.

En Hong Kong, a las tres de la tarde,
cuando los muelles huelen a ostras y poliéster
y las Tríadas en sus yates se fatigan
de filmar tanta película de acción.
Escribí tu nombre: aduana, cháchara,
exótica del Paradise,
las Diez Mil Cosas en la punta de la lengua
y un aliento de plata en mi voz de sayayín.

El mapa era transparente:
te vi recorrer al otro lado del océano
el recatado apartamento donde vives.
Vi cómo te hundías en la bañera
entre espuma violeta y bolsitas de té.

Vi arrodillarse tu pantalón junto al lavabo
y vi tus piernas largas,
como dos murallas chinas,
bajo las capas sucesivas del jabón,
el Estrecho de Bering
y el Libro de las Mutaciones.

Escribí tu nombre. Escribí tu nombre.
A las tres de la tarde, en Hong Kong
escribí tu nombre.

El corazón del sábado en la noche (Tom Waits bebe con Li Po)

El viento baja del bosque. La luz del bulevar
baila como una vela en el pretil de una ventana.
Cielo tibio. Las montañas forman una corona
alrededor de nosotros. Alguien habla de futbol
entre el llano dormido del estacionamiento
y los gritos que salen a la puerta del bar.
Por la barra, las luces de colores
saltan vasos vacíos,
como en un juego de damas chinas.
La música es un río tembloroso de estrellas.
Una botella de vodka
hace más transparente la luna.

El lugar donde se fríen espárragos
(featuring *Octavio & Gabilondo*)

En Xanadú, los canes de la usura
acuñaron monedas que valían veinte talentos
porque mostraban la efigie del poeta
y el emblema: *Todo es este presente.*

¿Quién dijo que el crimen de leer no paga?
¿Acaso alguien ha hecho literatura comparada
entre el opio de Coleridge
y los bombones de Cri Cri?
Creo que sí: *en los bosques del castillo*
han sembrado un gran barquillo
y lo riegan tempranito con refresco de limón,

es un milagro de ardid extraño,*
un pedazo de hielo
creciendo hacia el verano; *un sauce de cristal,*
un chopo de agua.

(En el lugar donde se fríen espárragos
no queda un palmo de tierra para sembrar plantas
sagradas.)

* "It was a miracle of rare device", *Kubla Khan*, v. 35.

Trabajos del poeta.
Aspiración. Espiración. Espiritismo
con sonsonete. La belleza es sólo caos
de baldosas biseladas de rocío
y arqueros con los guantes listados de magenta
y doncellas que aproximan –estiletes–
sus dedos de jengibre a la piel de las rosas:
todo arrumbado en la mente de un mongol
protegido del rigor de la roca en que duerme
apenas por la seda preciosa de su túnica.

Ah, tú.
Ah, yo.
Vulgares secretarias
transcribiendo un verde y rojo panegírico
de cúpulas en ruina. Soldados del Khan Kubla
adiestrados en la molicie más estricta,
cabeceando sobre el libro (láminas
a cuatro tintas) y soñando
–igual que Homero mientras despanzurraba teucros–
con el escote de las musas.
                                        Lo dijo Antonio
años antes de morir al sur de Francia:
mi infancia son recuerdos de un patio de Frontera
y Olivia Newton-John
                              cantando "Xanadú".

Que cada quien contemple el paisaje que le toca.

II. Poemas para la televisión

Piet Mondrian
(barras y música)

Un fantasma de la geometría:
un vaso de agua encima del buró.

Cierras los ojos mientras bebes,
como si –para gustarlo
más– quisieras
ausentar este sabor.

A través del vidrio, el agua.
Abajo a la izquierda
de la luz amarilla
una sábana
azul.

Himno

cada color un estanque
y el viento el polvo: pájaro
de micas

[en el desierto de Mayrán:]

lo desplazado no regresa

la memoria cercena lo que une

el paisaje es una urna de cenizas

Discovery Channel

aparecieron hombres que comían plantígrados
mitigaban el hedor de la piel chamuscada
a través de conjuros tan complejos
que su sola mención vale hoy un doctorado
comían a su sabor mascando ligamentos
arduamente descubriendo por la boca
lo difícil que es unir el hueso
a la imaginación

El show de Jules Holland

"oh Debbie esta sed donde encallan ahogados
es tan sólo el insomnio
mis dedos cruzan llaves doradas *groovin'*
high o cruzo
llaves doradas en un trapecio rojo

después la lentitud

la encarnación

alguien dice la hora mastica mientras habla
es el filo la punta lo perpendicular

una bestia de sed bajo los toldos
linternas de petróleo y el

sax oh Debbie salta
espuma de metal

la voz mastica dice
que va a doler un poco (yo
soy
ese dolor) escaleras abajo
como si me cosieran la sombra a la caída
anchas puntadas líquidas en

zig zag

un Ford de los 80
lo sé por la bocina
y una aguja con la cabeza hueca
bebe mi corazón de la cuchara

oh Debbie sueño alondras sincopadas
oh Debbie no te aflijas   perdona mi torpeza:
compraré otro lavabo cuando vuelva del concierto”

No importa era Tesalia
Sarajevo Sagunto (corresponsal
desde todos los límites a casa):
los cánticos marciales tañendo un gong de guerra
saetas en los párpados
orificios de lumbre resanando los muros
y detrás las higueras con sus frutos baldíos
en trincheras de lodo
impávidas
mirando

Un trasto lleno de agua
la luz no lo levanta
la luz ahora es el polvo de Berlín
de Cartago
y el agua sepultada fluye como un disparo en la cabeza

Flechados los talones
asolados los campos
hiel vertida en las norias
traidores en las picas
cansancio hasta en el filo del cuchillo
–qué indulgencia
de flores en los campos como tumbas

qué laberintos de rapiña las fronteras

Ahora ven
toma un fruto y aplaca tu saliva
en el rencor de las higueras destrozadas

La ley del revólver

Ya lo dijo el vaquero:
te mueves y te mueres.
Filosofía desoriental
del spaghetti western.
Qué hilo de Nilo y rosa
svástica en la danza
de esta buena, mala y fea
maldición aliterada:
te mueves
y te mueres.
Pon este koan en tu canana
junto a la foto de Van Cliff
y las bravatas de Heráclito el Oscuro.

El placer de pintar con Bob Ross:
Una jarra

Sus maneras diluyen la distancia
entre yacer
y girar: perfil de gota hueca
que se alarga en el borde
de la mesa, temblando.

Disparo que delira,
una espiral azul sube turquesa por su vientre;
el suspiro del vidrio alisa el tiempo
con las uñas afiladas de ese vaho.

La tomo suavemente
y la estrello en el piso.

Hecha pedazos,
mi cabeza se destiñe de figuras
como un dios de su nombre en las mezquitas.

Horario estelar

Imagínate que alguien se acerque a ti y te diga: "Pasarás el resto de la eternidad con la cara metida en un plato de sopa".

Stephen King

(¿Hay ajo en las estrellas?
¿Un sabor que las pulse,
que les queme la luz?)

Sopa y eternidad son una boda vertiginosa.
El paladar alaba este sabor fugaz
pero también censura su nostalgia enfermiza.

(¿Hay ajo, hay lengua,
hay plantígrados muertos,
hay sopa en las estrellas?)

Ambas nociones ciertas.

(Este idioma no me dice casi nada.
Voy por él como buscándole dicción a las
estrellas, azorado,
sin saber si su luz es sincera o es sólo una
demora:)

Ciertas como la cara, el olor a comida, el plato
donde yace crudo el tiempo.

(un aliento que murió antes de llegar a mí.)

Mamita,
esta noche recuerdo tu cocina
mientras vomito dentro del excusado
hasta que la eternidad me llega a la garganta.

Para Sergio Valero

40. Camarones y lápidas.

7. Pensamientos circulares en la ducha: el jabón de las lavanderías en el siglo XIX. Unicel que narra epopeyas. El top de licra de la patinadora en la pantalla. La cancha de basquetbol a dos grados bajo cero.

1. Es acerca de mí que Satán cuchichea en salones de té.

40. Camarones y lápidas en un pueblo pesquero llevado como un buque fantasma por la mar. Cuentan que los echaban vivos sobre los muertos, salteados en la luz, sazonados al ajo igual que las estrellas. Las cucarachas rojas, la carne putrefacta. También cuentan que el pueblo engullía estos manjares –pasajero de lujo en un buque fantasma– sin deleite ni aprecio. Aderezo y más vino. Carbón azul la máquina. Eso cuentan las rimas del viejo marinero, eso dicen los nombres grabados en la piedra. Camarones lanzados sobre brasas azules. Lápidas congeladas. Boca abierta a los manjares de la plancha de metal.

21. Un fárrago de luz alisa con su afilada uña la bruma: brocado sistemático ajeno a la belleza. Intacta la antigüedad del sonido en las jaulas cervicales, *como si en apretados y rápidos jadeos respirara la tierra.**

1. Cuchichea Satán y cuchichea, hasta que algún alto burócrata cede: *Ahí le tienes, en tus manos está toda su hacienda.*** Y de aquí en adelante –medieval, sacrificial, bubónico–, el olor de mis llagas alejará los placeres del Oriente, la microbiología escribirá sobre mi piel con un fluido idioma, y una flama perfecta (signo y gusto a podrido) me hará arder cada noche en su doble color.

40. Camarones y lápidas en un hotel forrado –como buque fantasma– de madera. Muero porque no muero con el control remoto en las manos entrelazadas sobre el pecho.

16. *Flor en el muro agrietado,*
yo te extraigo de las grietas,
te sostengo –raíz y todo– aquí en mi mano,
florecita. Pero si yo entendiera
lo que eres, raíz y todo y todo en todo,
entendería también qué cosa es Dios y el hombre.

Alfred Tennyson

* "As if this earth in fast thick pants were breathing", *Kubla Khan*, v. 18.
** Job, 1:12.

21. Trina en giros la luz reflejada en las fuentes como cuchillos del tamaño de un pulgar degollando jilgueros que viajaron al mercado en un camión de jaulas cubiertas de excremento. (En Xanadú, el Khan Kubla decretó que Jorge Borges fuera elevado al rango de Inspector Sanitario.)

21. (No queremos hablar de la vida privada. Éste es nuestro vicio poético, nuestra virtud inglesa, nuestro sentido de la dislocación moviéndose en el atrio de la voz como un tigre de insomnio. Tapándonos la boca.)

40. Amanezco en el fulgor provisional de un hotel de cinco estrellas: mirilla ojo de buey, pasillos que son buques forrados de madera. Mi alma está en mi tacto articulada como una máquina de vapor. Muero porque no muero con el control remoto en las manos entrelazadas sobre el pecho. La mañana es un baúl; en el último panel yacen los edificios. Camarones y lápidas. Carbón helado, azul. Una invisible camarista maquilla su semblante en el fondo de este gramo de droga luminosa.

33. El televisor encendido sin señal ni volumen. Párpados pensamientos en un sabor a menta. Escribo casi a oscuras.

III. Sound System en Provenza

Para León Plascencia Ñol

Ezra

Hoy vino a visitarme
el león del Barrio Latino.
Almorzamos salmón con galletitas
y miramos a través de la ventana
los pliegues de la sierra de Zapalinamé.

Le dije: "Soy
muy desgraciado. Amo a una esclava
que me frota la piel con aceites
mientras sueño con la albura fría y tierna
de mi mujer"... Y él (rascándose
las cejas): *Lo primero*
era esto: seis siglos
que no habían sido empacados.
Se trataba de trabajar con material
que no estaba en la Commedia.

En la cítara de arrugas de su rostro
desfilaban fases verdes,
rojizas y naranjas;
no sé si eran humores melancólicos
o centellas de pájaros canoros
generadas adrede por un truco verbal.

"Maestro –le rogué–, dispensa estas aletas,
la vulgar vocación de caminar como un pingüino
por los pliegues de la referencia,
mi réprobo latín aprendido en Perales,
mi afectada manera de ver telenovelas."

Se limpió las migajas de la barba
y preguntó tu nombre.

"Anabel, respondí.
Anabel, Anabel, Anabel: *it was many*
and many a year ago
in a kingdom by the sea." Y los ojos
del anciano león fotografiado en blanco y negro
eran gemelas beatrices portinari
derramadas en mi piel
como un bálsamo chino fraudulento.

Pasaron horas. Secuencias de la luz. Hubo un instante
de bienestar cuando las sombras
descendieron sobre todas las formas,
velando su belleza.
Él encendió un candil y dijo: "su pelo
también cambiará de color".
Luego tomó sus libros, un último sorbo de café,
y me explicó que más que el opio de una amante
amaba las soleadas terrazas de Provenza.

Yo envidié la dulzura
de su senil sinceridad: primavera
tan lejana.

Balada de amor del sastrecillo valiente (música de Nine Inch Nails)

Dulce doncella mía: no distiendas
un músculo. Ya zurzo
tu párpado impecable a mi pupila.

Hilo de oro nacido entre los muslos
de aquella hermosa muerta: lo usaré
para unir nuestras bocas
con aguja de plata
y sutiles clavijas de punta en espiral.

Déjame entrelazar este listón en tus cabellos,
decorar con botones tus costillas perforadas,
y abrazarte después tan tiernamente
que una luz de otro mundo nos despose.

Déjame acariciar las antiguas costuras
que transforman tu piel en un jardín
de labios, y beberme un dedal de tu sangre
devanada en la rueca. No cierres
tu balcón. No cierres tu vestido.
Mira que nada cubre mejor la desnudez
que estar cosido a un cuerpo que se ama.

Para Bárbara Izaguirre

*La puta de Dover**

Matthew Arnold y esta chica se detuvieron
con los acantilados de Inglaterra desmoronándose
a sus espaldas. Él dijo: "Trata
de ser honesta conmigo;
yo haré lo mismo contigo, pues las cosas
que empiezan mal, acaban" / etcétera, etcétera.

La conocí hace poco. Es cierto que leyó
a Sófocles en una muy confiable traducción
y descubrió esa amarga referencia a los mares.
Pero, mientras Matt hablaba,
ella estuvo pensando todo el tiempo
en la sensación que le provocaría
el roce de aquellas barbas en su nuca.
Más tarde me contó que había mirado de reojo
las luces al otro lado del Canal, y se sintió muy triste
pensando en todo el vino y las enormes camas,
y los piropos en francés, y los perfumes.
Estaba furiosa: la habían hecho venir desde Londres
para ataviarla como un cósmico refugio
final y deplorable.
Eso es duro para una muchacha.
Además, era muy guapa.

* Cfr. Matthew Arnold, *Dover Beach*.

Así que lo miró pasear por el cuarto,
y acariciar la cadena del reloj, y sudar un poquito;
entonces le dijo una o dos frases impublicables.

No la juzguen por eso. Lo que trato de decir
es que se encuentra bien: tomamos un trago a veces,
le hago pasar un buen rato, y quizá transcurra un año
antes de que vuelva a verla, pero sé que está ahí,
medrando, segura de su clientela.

A veces le regalo
un frasquito de perfume *Nuit d'Amour*.

(sobre un poema de Anthony Hecht)

Don Juan derrotado

Todas mis mujeres quieren estar con otro.
Me abandonan por un adolescente,
alaban a su esposo mientras yo las estrecho,
se van con periodistas,
con autistas,
con rubios bien dotados, con guerreros
y cantantes venidos de ultramar.
Todas son bárbaras, histéricas,
infieles: me acarician
con el filo azorado de un puñal de lencería
y se lanzan a bailar en la inmunda taberna
montadas en los ácidos corceles del calor.

(Siempre bailan con otro:
mi vida es un gazapo entre las pausas de la orquesta.)

Yo las deseo entrecortadamente,
como un caimán imbécil y violento
que gusta de la presa aderezada con veneno.
Yo las deseo en las cornisas más esbeltas del amor.

Abismos sucesivos y dádivas perpetuas,
sus cuerpos se prolongan en mí hasta confundirse:
una compra cortinas,
ésta me pide que por favor la abofetee,

aquélla está sentada en un parque vacío,
la mirada perdida, comiéndose un helado.
Yo les muerdo los cuellos,
les palpo cada legua de la piel,
les hablo con la piedad de un epiléptico
que habla a sus pesadillas.
Ellas no duermen nunca: su único empeño
es la traición.

Celosas. Inconstantes.
Me arrojan de sus vidas como a un príncipe azul
que es echado de la fiesta de disfraces
con nada más que un vaso desechable en la mano.

Todas me engañan. Todas.

En sus brazos,
yendo de unos a otros brazos,
me siento como César, que miraba
–mientras ardían en su pecho los cuchillos–
algunos de los rostros que más amó.

IV. Autobuses de Oriente

No es que Kublai Khan crea en todo lo que le dice Marco Polo cuando le describe las ciudades que ha visitado en sus embajadas, pero es cierto que el emperador de los tártaros sigue escuchando al joven veneciano con más curiosidad y atención que a ningún otro de sus mensajeros o exploradores.

Italo Calvino

Estoy esperando mi camión en la terminal del ADO.
Quiero que me lleve muy lejos, a la chingada de aquí.

Alex Lora

Miramar

Para Nacho Valdez y Jonathan Bouchardt

1

La ola que gira junto al pie
es una percepción banal.
No dura ni un latido;
eso la vuelve prodigiosa

(otra vez:)

la ola el olvido,
este ojo
que ha mirado el mar mil años /

busco mis restos frente a Playa Miramar.

De un lado a otro mariposas de unicel
y cantinas
como Lázaros en un palmo de sol.

La marea intenta ayudarme:
desentierra una tibia
(pero sumerge la clavícula)
y solapa cabellos
(aunque ya sin cabeza).

El tiempo es nuevamente piel bronceada y tejabanes,
una radio de pilas, jícaras, embriaguez
de pescado podrido,
voces de niños colgadas de la tarde
como lámparas encendiéndose una a una,
torsos que se desnudan en la espuma
con un gesto tan viejo que es la viva pureza.

El tiempo no cambia de lugar.

Si las palabras no salieran al encuentro de este instante
el mar sería sólo una infinita procesión de melodías
equivocadas.

Los dioses de todas las provincias del miedo
se olvidaron de mí. No me visitan
ni siquiera en medio de esta bella celada.

Busco en vano mis restos
frente a Playa Miramar.

2

De una salva de viento
  florecen las gaviotas como llamas oscuras.

Los baños están sucios
  y ya casi no nos queda gasolina.

El silencio es un seco mendrugo
  de las seis de la mañana.

Los colores ascienden de la tierra
  como lajas bajo un tajo de bronce.

Una adolescente de bikini rojo
  con un tatuaje falso al final de la espalda.

En la gasolinera
  vomitamos por turnos.

Después otra cerveza:
  una luna de aluminio al ras del agua.

Hay un ciego en mis mosquitos, un molusco
  enconchado en mis párpados.

El griego y Matthew Arnold
 escucharon también esta sortija encantada.

A las ocho pensamos en comida
 pero el sueño nos vence.

El mar habla dormido
 como un viejo contando monedas que le faltan.

Despertamos cuando el arco iris
 decolora las casas con su aspa de cristal.

De una salva de viento
 florecen la Marina y el petróleo.

Tomo notas puntuales
 pero no cabe la brisa.

Mis ojos son palabras que caminan en círculos.

Mis huesos un cadáver en la luz de otro día.

3

Cosas que dan felicidad:
  Limpiar los camarones que vas a comerte.
  Cazar un animal en los ojos de una muchacha.
  Tener en el bolsillo las monedas exactas.

Cosas que dan insomnio:
  Un suspiro de cáncer punzando en el esófago.
  Una gasa de diesel flotando sobre el rostro.
  Una escalera roja entrevista en el sueño.

Cosas lentas:
  Relojes de arena mojada.
  Un parpadeo entre dos gaviotas.
  Estrellas que parecen náufragos del Titanic.

(El cielo se empoza. El tiempo
no cambia de lugar.)

Hay en mi boca un príncipe quitándose la túnica,
hay una mantarraya de gas matando pájaros,
hay jardines de veneno
y senderos flanqueados de naranjos:
  cosas
  que van al vértigo.

La oscuridad empuña todo el Golfo de México.
Yo soy ese caballo
al final de la rienda.

Ciudad Madero, primavera de 2002

Tan claro como una tumba

Para Lauréline

Oscuro como la tumba donde yace mi amigo
Malcolm Lowry

1

Una esfera lúcida: viento,
colibríes,
esquizofrenia atravesando las montañas.

El bosque a donde fuimos, aserrín
de alto voltaje derramado en la niebla
–mas sin fulminación: todo tan claro
como una tumba a ras de aurora.

Vine a morir –farsa *backpack*, pasa un camión
destartalado– *en el ojo de un hongo alucinógeno* Y tú
te reíste y quitaste con tus uñas
las bacterias:
pedacitos de piel muerta de mi cara.

Una esfera lúcida, un cántaro de espanto
comido este derrumbe.

Espié la lentitud. La arboleda desnuda
como una sibila al entrar en su baño.
Vi más abajo las cenizas
de otra sibila adulterada,
ojos en éxtasis las hojas calcinadas,
una hipodérmica vacía de cielo en su mano.

Vi el sábado incrustado
en una lágrima de velocidad.

Y no vi
los colores (mi cara en clorofila,
los látigos de sepia desgajando la madera), pero sí
el resplandor de la oscuridad.

Frases cúbicas, ideas
refractarias a su peso de fractal.

(Vi

también unas violetas.

Me consolaron

cuando estábamos allá.)

2

Compramos dos viajes de hongos
por 80 pesos.
Rentamos la cabaña por 70.
La comida también era barata.

El dinero nos ha seguido desde el norte
por todas las carreteras–
quiero decir, nos ha dejado:

[*Et in*]

Arcadia de meseros y de recepcionistas
con las manos amputadas en el filo del *ego* (en el filo

del oro).

Buitres sobrevolando la terraza del Majestic

y en el Zócalo un gran buitre de lino de la patria;

billetes rojos y azules quemados en el prisma del
mezcal,
billetes fuente que mana y corre aunque es de noche,
tersos billetes arrojados a la danza del paisaje desde la
cima de la ruina

(el mundo es una bailarina desnuda),

viejos y grises y pálidos billetes
defenestrados al alba en canteras de euforia,
en farmacias de la Tierra Prometida:

todo el dragón del mar,
toda la simetría,
toda la luz lanzada en el azar de un cubilete

tendrán una etiqueta con su precio
en el extremo real de las apoteosis.

El dinero es la alcoba donde posamos nuestro corazón
feérico,
nuestras volutas nítidas de serpiente emplumada.

Le fric est notre patrie commune,
Lauréline:
donne-moi, donne-moi ton argent.

Sé que comimos suculencias nauseabundas,
que el sinsabor de las verdades que compramos
desaparecerá. Pero nuestra vivencia
es más precisa que la fe.

3

Todos estamos muertos en San José del Pacífico.
Todos resucitamos en San José del Pacífico.
En San José del Pacífico viene a dormir la profecía, y la risa es un alambre del invierno, y el doctor Freud es un perro lamiéndose el glande doblado sobre su propio esqueleto.
En San José del Pacífico salimos del baño para entrar en una guerra: cota de niebla, caparazones de musgo en la respiración, cuerpos silbados en el Limbo de la flecha.
En San José del Pacífico hacen fiestas en marzo, pero en julio solamente sopla el viento: escucha cómo fluye cada vez que lo digo: el viento, fluye el viento, escucha cómo fluye más allá de la fiesta cada vez que lo digo:

hacen fiestas en marzo, pero en julio solamente sopla el viento.

Párpados de bonanza caen a la cara de los cadáveres en San José del Pacífico,
caen también junto a la carretera expendios de pan y botellas al tiempo,

y cae incluso el tiempo como una plancha de acero en
un rastro a veces,
y a veces
como un durazno rojo.

No he visto policías en San José del Pacífico.
No he visto prostitutas.
No he visto a Dios.
En San José del Pacífico todos estamos muertos,
todos resucitamos
para beber café junto a los jipis del expendio. Hasta que
viene el hongo:
la humedad, la radio-
actividad, la polución de tanta risa.

La parte más visible de la bomba.

4

[...]
Me llamo 2 de la tarde y me duele la cabeza.

(etcétera)

[...]

la expresión como un acto diletante

el balbuceo como una máquina de precisión

(toda esa retórica de callar o caer majestuosamente,
etcétera)

[...]

("mantenga su distancia
no ciegue mis manadas con
ese resplandor

(usted es mi invitado

(no mi cliente)

mantenga su distancia”))

[...]

lo que aparece en la escritura:

una versión autorizada, una

Vulgata

de la mente:

* * *

Mírate en este azul sin habla:
un cielo que parece una tabla
de tan pulido, de tan recto –tabla
de raíz de aire: callada,
tan azul. Mírate
como se mira un ciervo en el paisaje
aunque, camino de la sed, nada
le sea temblor, temor, estanque;
mírate desaparecer en los zarzales.

Una mariposa roja cruza la hondonada y,
mientras la señalas,
se engasta en el cielo sin nubes.
Un suspiro. Un incendio:
un anillo que vuela en tu dedo
hacia el interior.

* * *

Tropas de desengaño colorean –claro
como una tumba– el aire. La descomposición
encarna en lo naranja (bacteria
venenosa); debajo de este árbol
soy su caníbal: soy su reencarnación.
Raíces de agua negra,
gargajos sin sonido: escupo un lodo ácido
encima de mi amor.

San José del Pacífico, verano de 2003

Los Mezquites

Para Hernán Bravo Varela

Es más cómodo flotar sobre honduras tranquilas
que estar de pie en el lodo, con el agua hasta el cuello.
Quédate quieto un rato y vendrán las tortugas
a comerte los dedos entre helechos y hierba,
sin siquiera mirarte. (Tres millones de años
sitiadas en un charco en medio del desierto;
¿qué piedad o qué rencor puede causarles
el manso enjambre de tu futuro?)

Cavan salud los brazos en la calma.
Apenas emerges, un alfiler de sol
te llama desde el fondo: un anillo
que gira entre el deseo y la generosidad.
Nadas tras él, cabeza abajo, con los ojos abiertos,
hundiendo puños en el fango de la ciénaga.
Pero el anillo es sólo un rumor.

Dicen que Los Mezquites forma parte de los restos
de un mar que en la prehistoria cubría esta región.
Su flora y fauna incluyen estromatolitos,
endémicas tortugas de bisagra y ciegos peces
que nadan en cavernas a donde no cae luz.

Nunca llega, el viento: viene hacia acá
como un rumor, haciendo rizos
cada vez más pequeños en el agua.

Así suenan al ras de superficie las palabras, el anillo:
es más cómodo flotar que estar de pie.

Preferible bucear debajo de los nenúfares negros:
arden los ojos abiertos, hojas de agua
tapian el sol sobre la sien.
Ciego como los peces en una gruta líquida.
No hay más joya nupcial que un rumor en la boca.
Con el agua hasta el cuello.

Poza Los Mezquites, Cuatrociénegas, septiembre de 2004

Callo de hacha

... caminan por las rocas
cinco monjas.
[...]
(Para buscar almejas,
una lleva un cuchillo.)

Héctor Viel Temperley

I should have been a pair of ragged claws
Scuttling across the floors of silent seas.

T. S. Eliot

Pensé que los moluscos eran gente pacífica,
casatenientes arruinados pero dignos
perpetuando una casta de conchas en el mar.
Luego Ricardo me llevó en un cayuco
al sur de la laguna de Chacahua
y amelló su cuchillo en callos de hacha
y comimos olán –esa tripa del agua
sedosa entre los dientes.

"Hay en el fondo del mar, si buscas con un gancho,
un retrato de mi abuelo más lejano,
el tocador de una princesa hecha de lodo,
un espejo de piel, un buzo hambriento."
Esto lo dije una noche en la rompiente.
Pero fue inútil: las palabras
no viajan al pasado.

Todo sabe a limón: las fogatas,
el viento de la playa,

los manjares sacados de las rocas
y congelados luego como victorias pírricas,
las cervezas, las conchas: los cadalsos.
Todo sabe a limón
y el espíritu flota sobre las aguas.

(Mírame con tu cara encapuchada,
tu abstracta cara de verdugo medieval,
mientras te descuartizo y te empalo y te devoro.)

Pensé que los moluscos eran gente pacífica.
Bulbos en lápidas. Praderas archivadas.

Ahora no puedo ver el mar
sin mirar cómo ruedan las cabezas.

Chacahua, verano de 2003 / verano de 2004

V. Gengis Khan

Sueño que Gengis Khan se abate sobre ellos
como una redentora ola de mutilación.

Ángel Ortuño

Bailábamos abrazados cuando irrumpieron los jinetes
pisoteando el jardín japonés de la entrada.
Sujetaron al pianista por el cuello
y le abrieron el cráneo, musitando:
Play it once, Sam.
Los martinis secaban la garganta
y no hubo un recipiente de vísceras o quesos
que no fuera volcado. Hacia la medianoche,
Gengis Khan bajó de su aposento
vestido de *drag-queen* y comiendo pastel.
Poco a poco, la fiesta se animó:
manos cortadas en la mesa de Monopoly
y en el Sony una porno situada en Año Nuevo.

Todo un poquito demasiado teatral.

Todo, menos el gallo:
el gallo que, en el patio de la casa,
cortaba con el pico pedazos de tomate
y caminaba alrededor de su vasija
como un guerrero tártaro en torno de la turba.

Lo importante era volver sin brazos,
caminar sobre la cuerda desde el Medio Desoriente
hasta una pértiga de escombro.
Lo importante eran los brazos,
el no abrazo de los brazos apilados
junto a los hospitales (Ali Abbas –12 años,
Bagdad– fotografiado sin brazos. Derechos
Reservados. *La Jornada.*)
Uñas que sólo crecen hacia el color violeta.
Morfina en vez de brazos
para llevarse una caricia a la cabeza.

Lo importante era la mente de esos brazos:
la resaca de los miembros aferrados a la bomba.

un filamento rojo traído por la luz a la frontera de una
astilla

y el asombro era que verlo mucho rato
asfixiaba

El 25 de octubre de 1415, Francia murió de asfixia en Agincourt. La estrategia de d'Albret resultó tan razonable como trágica: su ejército era muy superior al invasor, así que decidió atacar con toda la caballería. Su error fue no tomar en cuenta el clima: ese día llovió mucho, el suelo se convirtió en un fango pegajoso, y los hombres de armadura quedaron inmovilizados, debido a su gran peso, por las muy particulares condiciones del terreno. Los arqueros de Inglaterra no tardaron en pasar a cuchillo a la caballería francesa. Luego, tras la rendición, Henry V vio que tenía menos soldados que prisioneros. Temiendo que éstos últimos se rebelaran, ordenó una masiva ejecución.

Otros estudios señalan a la topografía como causa principal de la derrota: el campo de Agincourt presentaba una pendiente cónica, una suerte de gran cepo natural en el que –tras la confusión– los franceses se aplastaron unos a otros. Por eso los expertos consideran que Agincourt nunca fue un hecho de armas, sino un simple y lacónico "desastre de multitudes".

El hígado atraviesa tu país en hombros
de picos de pájaros: escombros a caballo
los del hígado cuando es vianda y jinete
de los buitres, luz tártara en los valles
desde el cielo (cernícalo: qué nombre para el filo
que ronda tu cabeza más arriba que nada).
Fuerza aérea, ingrávida.

El hígado como una joya azul
entre los pechos de la montaña intoxicada.

El hígado hilvanado con amor en el aire
lo mismo que galón de una chaqueta militar.

El hígado (a caballo
de la ira a la cifra, y viceversa) cruza
entre dos aguas negras tu país.
Cruza esta latitud desmigajada
y bombardea patios, buzones,
ropa blanca en el lazo, húmeda todavía.

El hígado en su noche,
tan solo
que es su propio corazón.

¿Cuántas horas se hacen
del domo de placer de Kubla Khan
a la persiana de mandobles con la que Gengis Khan
se protege del sol en un hotel que es un caballo?

Hoy encontraron 32 pedazos
de cuerpos humanos en el metro de Moscú.
Es un milagro de ardid extraño, un río Alph de vagones
donde carnada y pez son siameses desbocados.

(Una dulce
voz en ruso
anuncia el nombre de
la próxima estación:)

Nos movemos.

(Un hospital que es
un vagón, ¿es un siamés?,
¿es una cirugía?, ¿es
un caballo?)

Nos movemos.

Yo entregaría a mi madre
a cambio de un paquete de cigarros.

A cambio de un reloj, de una tarde en Disney World,
de una ducha con Nicole
la entregaría.

Yo entregaría a mi madre a cambio del teléfono de la
madrota de las musas.

Yo entregaría a mi madre si el teniente de los serbios
me pusiera su revólver en la nuca.

Por cobardía, no (o también, pero): por odio.

Por odio a ella, no:
por odio a la unidad, por odio al tiempo,
por odio al hábito:

por amor.

En el ápice de la Escritura,
una mágnum graduada: el arca de Noé.

Entre las gasas giran moscas dibujando
el ideograma del dragón. Diamantes tártaros
sus alas.

Pendiente de un hilo de muerte,
el cubo del cráneo baja al pozo en pos de claridad.

Es un milagro de ardid extraño:
púrpura que sin válvula florece

entre las alas vaporosas,

pegadizas.

El track fantasma

Escúchalo, Khan: nada serena
el otro lado de la cimitarra.
Ni la tele ni Xanadú, ni el amor ni los viajes
de Marco Polo, ni siquiera
la certeza narcisista de que reventarás
en tus propios fluidos,
en la tiniebla sólida de verdaderas aguas negras:
en la Historia.

El otro lado de la cimitarra:
espejo donde sopla su música el desierto,
lago de sangre congelado en un silbido.
Escúchalo. Nada serena
el troquel de la aguja sobre el disco,
el track fantasma:
el sonido que hace la piedra de tu mente
al afilar una hoja de metal.

Índice

Fotocomposición: Alfavit
Impresión: Litográfica Ingramex S.A. de C.V.
Centeno 162-1, Col Granjas Esmeralda
México D.F. 09810
Certificado de calidad ISO 9000 n.02-2082
25-IX-2005

Poesía en Biblioteca Era

Jorge Aguilar Mora
Stabat Mater
Xhevdet Bajraj
El tamaño del dolor
José Carlos Becerra
El otoño recorre las islas. Obra poética (1961/1970)
Alberto Blanco
Cuenta de los guías
Coral Bracho
La voluntad del ámbar
Ese espacio, ese jardín
Huellas de luz
Luis Cardoza y Aragón
Lázaro
Elsa Cross
El vino de las cosas. Ditirambos
Jorge Esquinca
Vena cava
Jorge Fernández Granados
El cristal
Juan Gelman
Valer la pena
País que fue será
Julián Herbert
Kubla Khan
Francisco Hernández
Imán para fantasmas
David Huerta
Incurable
El azul en la flama
Versión
Efraín Huerta
Transa poética
Eduardo Hurtado
Las diez mil cosas
José Lezama Lima
Muerte de Narciso. Antología poética
Malcolm Lowry
Un trueno sobre el Popocatépetl
Héctor Manjarrez
Canciones para los que se han separado
Fabio Morábito
Alguien de lava
José Emilio Pacheco
Los elementos de la noche

El reposo del fuego
No me preguntes cómo pasa el tiempo
Irás y no volverás
Islas a la deriva
Desde entonces
Los trabajos del mar
Miro la tierra
Ciudad de la memoria
El silencio de la luna
Álbum de zoología
La arena errante
Siglo pasado (desenlace)
La fábula del tiempo. Antología
Gota de lluvia y otros poemas para niños y jóvenes
Antología del modernismo
Aproximaciones

José Luis Rivas
Un navío un amor

Saint-John Perse
Elogios

Eduardo Vázquez Martín
Naturaleza y hechos

José Javier Villarreal
Portuaria

Verónica Volkow
Oro del viento

Ricardo Yáñez
Vado

Saúl Yurkiévich
El sentimiento del sentido